Le chien de
8 h 22

Jacques Delval est né en 1939 en Picardie, pendant une alerte aérienne. Après avoir exercé de nombreux métiers, dont celui de professeur, il a décidé de devenir écrivain à plein temps, racontant des histoires réellement vécues la plupart du temps. C'est également un poète et il aime rencontrer en direct ses jeunes lecteurs au cours d'ateliers d'écriture.

À l'âge de 8 ans, **Irène Schoch** a gagné un concours de dessin en dessinant… un chien. Plus tard, elle a fait des études d'arts appliqués à Paris et à Strasbourg. Elle est retournée ensuite vivre dans son pays natal, la Suisse. Parfois, elle aimerait bien comprendre ce que disent les chiens quand ils aboient.

Collection dirigée par Laurence Kiefé

Conception graphique : studio Mango
© 2003 Mango jeunesse, Paris
Loi n° 49.956 du 16 juillet 1949 sur les publications destinées à la jeunesse
Dépôt légal : mai 2003
ISBN : 2-7404-1624-5
Imprimé en France

Jacques Delval

Le chien de 8 h 22

Illustrations de
Irène Schoch

BiBLiO**MANGO**

1

Mon réveil sonne brutalement. Je regarde ses aiguilles. 8 h 15 ! Je n'ai pas voulu que ce soit lui qui me réveille encore une fois, l'affreux chien d'en dessous, ce nabot aux yeux globuleux, ce gros boudin à pattes. Je fixe la pendule : 8 h 20, 8 h 21, 8 h 22. Ça y est ! Il aboie, férocement, régulier comme un TGV. Si je pouvais le saisir par les pattes arrière, le faire tourner, le lâcher brusquement, qu'il disparaisse derrière les toits ! Si je pouvais le piétiner, le réduire en bouillie ! Une fois encore, il me nargue, moi, Julien, qui aime tant dormir très tard le matin parce que je me couche très tard le soir.

Toujours allongé dans mon lit, les bras sous la tête, je l'imagine descendant les escaliers en se moquant de moi : « Je l'ai encore réveillé ! Il est vert de rage dans ses draps et moi, moi je vais faire mon petit tour, mon petit pipi, après je rentrerai tranquillement ! »

C'en est trop, ça ne peut plus durer ! Ça dure quand même depuis plus d'un mois, depuis que ses maîtres ont emménagé dans l'appartement d'en dessous et qu'il a pris cette sale habitude de descendre tous les jours, à 8 h 22, faire son petit pipi,

qu'il pleuve, qu'il vente, qu'il neige.
Il n'a donc pas de waters ?

Il réveille en passant le chien du
rez-de-chaussée, un vieux fatigué, qui
n'aboie que par habitude et doit se
rendormir aussitôt. Ce n'est pas
comme moi. Jamais je ne me rendors !
Oui, il faut vraiment prendre une

forte, une énergique décision ! Je dois
l'éliminer ou je vais devenir fou.

Bien sûr, je pourrais me plaindre à
son maître, mais, j'en suis sûr, ils sont
complices. Ils veulent me chasser,
pour me prendre mon petit studio,
percer le plafond, y aménager une
chambre pour leur fils.

Un jour, leur chien s'est trompé d'étage en remontant et il est venu gratter à ma porte. Comme je n'ouvrais pas, il a fait caca sur le palier. Lorsque j'ai ouvert, j'ai trouvé une énorme crotte, visqueuse, pestilentielle. Cette fois, j'ai pris mon courage à deux mains, je suis descendu chez le voisin. Le cœur battant, j'ai sonné.

— Vous désirez ? m'a demandé son maître.

— Votre chien…

— Quoi, mon chien ? Qu'est-ce qu'il a fait ?

— Une énorme …

Je me suis brusquement arrêté. Brutus s'était approché en dandinant des fesses. Il m'a fixé, férocement, en grognant, prêt à mordre. Il avait l'air de dire : « Parle donc si tu l'oses ! »

Je n'ai pas osé ! Le sang s'est retiré de ma figure, j'ai pâli, bafouillé :

— Votre chien, votre chien, il... il...

Et je me suis sauvé, éperdu de peur, humilié.

J'ai remonté l'escalier quatre à quatre, claqué la porte. Je me suis appuyé contre le battant. Mon cœur cognait, cognait. Il faut dire qu'enfant, j'ai été mordu par un chien. Ma grande sœur a bien essayé de me protéger en écartant son petit tablier devant le monstre, mais il l'a renversée et s'est jeté sur moi. Les chiens ne m'aiment pas, ni les autres animaux d'ailleurs. Ils me font peur, même les plus petits. Ils me poursuivent de leur hargne. Je ne sais pas pourquoi. Pourtant, jamais je ne leur ai fait de mal.

J'essaie de me raisonner : « Quelle

mauviette tu fais, avoir peur d'un chien aussi minuscule ! Tu n'es plus un enfant de trois ans. Allons, courage, avance la main, caresse-le ou passe, sans t'occuper de lui… » Mais c'est plus fort que moi. J'ai peur, peur ! Il le sent, il en profite. Je dois réagir, éliminer cette affreuse bête, mais comment faire ?

2

Je me lève, m'habille en vitesse et attends, derrière la porte. Dehors, il fait un sale temps gris. Des nuages sombres glissent au-dessus des toits en zinc et vont se perdre quelque part derrière les antennes de télévision.

Mon voisin ouvre sa porte. J'entrouvre la mienne. Un gratte-ment que je connais bien. L'affreux Brutus descend l'escalier, ses griffes accrochent les marches. Il halète comme un malade. Je ne peux quand même pas attendre qu'il meure ! Bien sûr, ce serait plus simple, mais moi, je serai déjà mort d'insomnie.

J'enfonce ma casquette, remonte le col de mon parka, saisis une paire de lunettes noires qui traîne sur le rebord de ma petite bibliothèque depuis les dernières vacances. J'ai bien mes clefs. Il ne faudrait pas que je me retrouve à la porte. Je me colle contre le battant et attends quelques instants. Un bruit de serrure. Le maître de Brutus ferme la sienne et descend allègrement en sifflotant, heureux d'aller au travail, ou alors heureux de m'avoir réveillé encore une fois.

J'attends qu'il ait descendu un étage et je me mets en route. Le chien est déjà dans la cour. Il aboie joyeusement.

La concierge m'a signalé qu'il y fait ses besoins et qu'elle doit nettoyer les crottes de Monsieur ! Elle me soutiendra si j'ai besoin d'aide...

Je me colle dans un coin du palier du deuxième étage. Je n'entends plus les pas de mon voisin. Est-ce qu'il m'aurait repéré ? Est-ce qu'il m'attend pour siffler son chien, me faire

mordre ? Non, il repart. Une odeur douceâtre de tabac blond monte jusqu'à moi. Il vient simplement d'allumer une cigarette.

Un bruit sec me fait sursauter. Qu'est-ce que c'est ? Il n'arme pas un pistolet quand même ? Non, il a jeté son sac d'ordures dans la poubelle. Le couvercle vient de se refermer brusquement.

Je m'arrête sur le palier et surveille la cour. Elle est vide. Brutus et son maître sont dehors. La porte cochère se referme lentement. Je descends le dernier étage et me risque à l'extérieur.

Les pavés de la cour sont glissants. Une odeur de gasoil, mêlée à celle d'un ragoût qui a dû brûler, flotte entre les petits troènes qui meurent d'ennui dans des bacs en fausse pierre. Je me glisse sous le porche, entrouvre

la porte, passe prudemment la tête dans l'entrebâillement. Personne sur le trottoir. Je me faufile dehors comme une ombre.

À une vingtaine de mètres, sur le trottoir, Brutus gambade joyeusement, renifle un pneu de voiture, soulève sa petite patte courte et lâche un jet d'urine. Son maître le contemple, satisfait

comme un père de famille devant son bébé qui vient de faire son rot. C'est tout juste s'il ne le félicite pas.

Brutus frétille de la queue, va plus loin, flaire, revient en arrière. Son maître attend toujours, au bord du caniveau. Enfin Brutus se décide, tourne plusieurs fois autour d'un panneau publicitaire, renifle, écarte

largement les pattes arrière, pousse, pousse. Une énorme crotte tombe sur le trottoir, juste sous le panneau. J'ai envie de hurler, d'ameuter les passants. Il n'y en a qu'un seul, qui fait semblant de ne rien voir et disparaît bien vite au tournant de la rue. Mon voisin siffle son chien. Ils reviennent vers l'immeuble. Je dois absolument me cacher.

En rasant les façades, je recule et m'enfonce sous la voûte profonde d'un passage qui conduit vers des cours. Le voisin rouvre la porte cochère. Brutus entre seul.

Seul, il remontera les escaliers, aboiera une nouvelle fois devant la porte de son appartement. Sa maîtresse ouvrira. Brutus rentrera chez lui, content, soulagé.

Son maître laisse la porte cochère

se refermer et part au boulot, toujours en sifflotant. Voilà, je sais tout.

Je reviens chez moi très lentement
en observant chaque façade, chaque
porche, chaque voiture garée dans la
rue. Je pourrais me planquer derrière
l'une d'entre elles, ouvrir un grand
sac et kidnapper Brutus lors de son
passage. Impossible, son maître le

surveille jusqu'à ce qu'il soit entré. Je pourrais provoquer une diversion afin que mon voisin s'éloigne de l'immeuble, attendre que quelqu'un lui parle, demander à la concierge de le retenir au bord du trottoir ? Trop compliqué ! Il me faut absolument agir à l'intérieur de l'immeuble.

Pour faire disparaître Brutus, je ne dispose que d'un très court moment entre la fermeture de la porte et la remontée de ma victime au cinquième étage. Le crime pourrait avoir lieu dans la cour ou dans l'escalier. Comment faire, sachant que la concierge, qui est plutôt de mon côté, fera semblant de ne rien voir, de ne rien entendre ? Quant aux autres locataires, ils s'en foutent royalement.

Je rentre, toujours plongé dans mes pensées meurtrières. En abordant les premières marches de l'escalier, un souffle tiède, humide, qui sent le renfermé, me caresse le visage. Les caves ! Leur bouche béante, fermée par une grille sinistre, s'ouvre juste à côté. C'est là qu'il me faut attirer Brutus ! J'imagine déjà la scène : j'entrouvre la grille, j'en ai la clef, comme tous les copropriétaires. J'y pousse Brutus d'une manière ou d'une autre et je m'efforce de le perdre dans l'affreux dédale obscur où je ne suis allé qu'une seule fois...

3

Le soir, dans mon lit, les yeux per-
dus sur les taches d'humidité du plafond de ma petite chambre, les bras
sous la tête, je réfléchis longuement à
ma stratégie du lendemain.

J'ai réglé la sonnerie de mon réveil
à 8 heures. Je dois être fin prêt pour
la dernière promenade de Brutus.
J'ai choisi un blouson de cuir noir, des
gants noirs, un pantalon noir, des
baskets noires, des lunettes noires. Tout

de noir vêtu, je passerai inaperçu et, en plus, Brutus sera certainement effrayé par mon apparition. Je pourrais même, au dernier moment, enfiler une cagoule noire. Ah, il ne faut pas oublier ma lampe torche. Dans les caves, le circuit électrique est foutu. Personne ne s'y rend plus jamais. Il y a, paraît-il, d'énormes rats. On a bien essayé de les éliminer avec des grains de poison disposés dans des coupelles, le long des murs suintants d'humidité, rien n'y fait. Un vieux locataire m'a même raconté en avoir vu au sixième étage, dans les chambres de bonne qui servent maintenant de débarras. Ils grimpent par les gouttières, se glissent sous les portes… Quelle horreur !

J'ai un mal fou à m'endormir, me tourne, me retourne sans arrêt, épie chaque bruit, enfin je sombre.

Une sonnerie stridente me réveille. Je sursaute. Déjà ! J'hésite, regarde l'heure. Il est bien 8 heures. J'ai dormi d'un sommeil de plomb ! « Le sommeil de l'assassin », me murmure une petite voix qui voudrait me retenir au lit, m'empêcher d'agir, mais il ne faut pas rater mon rendez-vous !

Demain, je pourrai paresser au lit, me détendre, sourire au soleil qui se glisse par l'étroite fenêtre et éclaire les toits. J'aperçois même une grande plante qui se balance dans le vent léger. Elle a réussi à pousser entre deux cheminées. Mais pas d'apitoiement romantique, je dois me préparer !

J'enfile mes habits de commando, avale rapidement un bol de céréales, enfourne dans ma poche ma cagoule de ski, empoigne ma lampe torche et attends, l'oreille collée à ma porte. 8 h 20, 8 h 21, 8 h 22. Ça y est, il aboie. Il aboie pour la dernière fois, l'affreux Brutus ! Mon cœur cogne, cogne, ma petite voix me répète : « N'y va pas, n'y va pas. Quand même, c'est un être vivant. Il a droit à l'existence. Tu finiras par t'habituer à ses aboiements, recouche-toi ! »

Ma volonté d'en finir est la plus forte. J'entrouvre la porte. Des crissements rapides sur les marches, un pas lourd qui les suit. L'action est en marche, rien ne peut plus l'arrêter.

Je me faufile dans l'escalier. La torche tremble dans ma main. D'autres aboiements dans la cour. Il est en bas. Je continue de descendre à pas de loup. Si un voisin ouvrait brusquement sa porte, quel spectacle ! Il hurlerait de terreur. Personne ne se montre. J'arrive en bas. Ils sont sous le porche.

Je me coule dans l'espèce de réduit où la concierge entrepose ses instruments de ménage, tout contre l'escalier des caves, fouille dans ma poche, sors la petite clef, brillante comme celle du placard de Barbe Bleue, ouvre la lourde grille piquée de rouille. Un souffle humide me frôle le visage. J'entrevois la gueule béante des escaliers qui s'enfoncent en tournant vers l'obscurité. J'allume ma lampe, éteins, prête l'oreille et perçois enfin le bruit de la serrure de la porte cochère, le claquement sec quand elle se referme. Ils sont dans la rue, encore quelques minutes et il

reviendra, l'affreux Brutus. Il reviendra pour la dernière fois !

Je répète cette phrase avec une sombre jubilation. L'attente devient insupportable. Et si, pour une fois, mon voisin remontait avec son chien ? C'est peut-être un jour de congé. J'ai envie de crier d'impatience. Je me mords les lèvres.

Le bruit de la porte cochère, un léger trottinement. C'est lui. J'ose tendre le cou hors de mon réduit. Il est seul, il revient, heureux, la queue en l'air, ravi de sa petite sortie ; la dernière ! Il va arriver au pied de l'escalier. J'ouvre toute grande la grille de la cave, bondis sur la première marche de l'escalier, lui barre la route en levant les bras. Je dois être effrayant.

Brutus stoppe net, son train arrière tremble. Je lis de la terreur dans ses yeux. Il fait un brusque crochet et, comme je l'avais prévu, se précipite vers l'issue la plus proche : le sombre escalier des caves.

Je bondis à ses trousses en grognant, en agitant les bras, et claque la grille derrière moi. Dans l'escalier, j'allume ma torche et n'hésite plus à hurler en le poursuivant. Personne ne peut plus m'entendre.

4

Au bas des marches, deux boyaux s'ouvrent. J'éclaire celui de droite. Pas trace de Brutus. Celui de gauche ? Je crois deviner une petite tache blanche. Je fonce en agitant ma torche sans cesser de crier. Brusquement le boyau se divise encore. Je m'arrête, en sueur, arrache ma cagoule, éclaire autour de moi.

On se croirait dans les souterrains d'un château fort. Des portes à moitié arrachées pendent à l'entrée de caves voûtées où s'entasse une multitude d'objets éventrés, couverts de toiles d'araignées, de moisissures, de gravats jaunâtres qui tombent des murs en brique. J'éclaire au-dessus de moi. Des conduites de fonte, parcourues par des bruits de chutes d'eau, s'enfoncent dans toutes les directions. Le sol est jonché de débris, de coupelles éventrées et, horreur, de crottes bien rondes. Les rats ! Je crois voir, derrière chaque objet, luire des yeux. Je n'ose plus avancer. La sueur me coule le long du dos. Et Brutus ? Il a dû se perdre dans ce dédale de cauchemar. Où suis-je ? Ma lampe ne dessine plus qu'un faible halo autour de moi. J'écoute, tous les sens tendus. Ce bruit sourd, sans doute les voitures dans la rue. Ces grignotements, ces courses soudaines :

des rats ? Ils doivent être tout près. Je tape du pied pour les faire fuir, appelle encore : « Brutus, Brutus ! » J'aimerais qu'il soit là. Il ferait peur à ces immondes bêtes. Je me retiens pour ne pas hurler. Personne ne m'entendra. Je suis perdu, perdu. Et Brutus ?

J'appelle doucement, presque ten-
drement.

— Brutus, Brutus, tu es là ?

Aucune réponse. Je répète, d'une
voix de plus en plus suppliante :

— Brutus, Brutus, viens, je ne te
ferai pas de mal.

Je fais quelques pas. Brusquement,
quelque chose me frôle. Je sursaute,
frémis. Heureusement, les jambes de

mon jean sont très serrées ! Une panique insidieuse monte en moi, me submerge. J'avance encore un peu, écarquillant les yeux pour apercevoir Brutus. Ma lampe faiblit, faiblit, son halo diminue, diminue…

Je ne vais quand même pas me retrouver dans le noir avec toutes ces choses qui rampent autour de moi. Un cri d'horreur, un appel au secours

monte irrésistiblement dans ma gorge. J'avance malgré tout, espérant apercevoir la si mignonne, si adorable petite tête de Brutus. Rien. Le boyau se divise encore. Où suis-je ?

Les caves font le tour de l'immeuble et s'enfoncent même sous la rue, paraît-il. On dit aussi qu'il y a un puits très profond, à ras de terre, couvert par une simple grille ! Je tâte du pied en avançant. Notre immeuble a été bâti sur les ruines d'un ancien couvent des Sœurs de Nazareth. Ma lampe va s'éteindre ! N'y tenant plus, je hurle.

— Au secours, au secours !

Ma voix est étouffée par les voûtes toujours parcourues d'étranges gargouillements. Si un flot dégoûtant m'inondait ! Je vais fondre en larmes, comme un gosse… quand…

Quand une boule toute chaude se

colle à mon jean. Un rat ! Je vais lui fracasser la tête d'un coup de torche. Je baisse les yeux. Brutus ! Il se dresse sur ses pattes arrière, me lèche les mains, enserre ma jambe. Mais il tremble, le pauvre vieux. Il a encore plus peur que moi. Elle tremble, la pauvre, la mignonne petite boule.

— Mon Brutus à moi !

Je le caresse, le dorlote. Nous sommes deux, deux pour affronter l'obscurité et ses affreux habitants. Je me redresse, encourage Brutus de la voix.

— Cherche, mon chien, cherche la sortie !

Brutus passe devant, le nez au ras du sol, remonte nos traces. Enfin, je vois au loin une faible lueur. L'escalier ! Nous sommes sauvés.

5

Je remonte péniblement. Brutus et moi sommes couverts de toiles d'araignées, de taches jaunâtres. Il m'attend en haut des marches comme pour m'inviter à le suivre, le brave petit ! Je lui emboîte le pas. Il s'arrête devant sa porte. Brusquement, elle s'ouvre. Ma voisine me contemple, éberluée.

— Qu'est-ce qui vous arrive ? Mais vous êtes avec Brutus ! Je me demandais ce qu'il faisait. Ce chien devient complètement idiot !

— Je l'ai retrouvé dans la cave. Je rangeais de vieilles affaires... Il avait l'air perdu...

— Ça ne m'étonne pas ! Il est presque aveugle et sourd comme un pot. Si on pouvait s'en débarrasser... Il est vraiment trop vieux ! Merci. Je vais raconter l'histoire à mon mari. Ça l'amusera.

Brutus me regarde tristement. Mon cœur se serre. Finalement, ils ne l'aiment pas beaucoup, leur chien. Je me suis trompé. Il doit être bien malheureux chez eux. Je vais essayer de l'aider.

Le lendemain, alors que je croise Brutus et son maître dans la rue, je dis comme ça :

— Je me suis décidé à faire un peu

de jogging dans le square, le matin. C'est bon pour la santé. Je peux passer prendre Brutus. Je crois qu'il descend à 8 h 22 ?

Son maître grommelle :

— Dans ces eaux-là. Je n'ai jamais vérifié. Si ça vous fait plaisir, vous pouvez. Je n'aurai plus à m'en occuper.

Brutus me regarde avec tendresse, remue la queue, aboie joyeusement. Je m'éloigne en trottinant.

BiBLiO MANGO

une collection pour les lecteurs de 6 à 13 ans

À partir de 6 ans